Princesse Sophie

ne se laisse pas faire

Cet ouvrage a initialement paru en langue anglaise en 2005
chez Orchard Books sous le titre :
The Tiara Club
Princess Sophia and the Sparkling Surprise.
© Vivian French 2005 pour le texte.
© Sarah Gibb 2005 pour les illustrations.

© Hachette Livre 2006 pour la présente édition.

Adapté de l'anglais par Natacha Godeau

Conception graphique et colorisation : Lorette Mayon

Hachette Livre, 43 quai de Grenelle, 75015 Paris

Vivian French

PRINCESSE Academy

Princesse Sophie
ne se laisse pas faire

Illustrations de Sarah Gibb

HACHETTE

PRINCESSE
Academy

Institution
pour Princesses Modèles

Devise de l'école :

Une Princesse Modèle
est honnête, aimable
et attentionnée.
Le bien-être des autres
est sa priorité.

*Nous dispensons
un enseignement complet,
incluant des cours :*

- De Dragonologie
- De Haute-Couture Royale
- De Cuisine Fine
- De Sortilèges Appliqués
- De Vœux Bien Choisis
- De Maintien et d'Élégance

Notre directrice, la Reine Gloriana,
assure une présence permanente
dans les locaux. Nos élèves sont
placées sous la surveillance
de Marraine Fée, enchanteresse
et intendante de l'établissement.

Parmi nos intervenants extérieurs :

• Le Roi Perceval
(expert ès dragons)

• La Reine Mère Matilda
(Maintien et Bonnes Manières)

• Lady Victoria
(Organisation de banquets)

• La Grande-Duchesse Délia
(Stylisme)

Les princesses reçoivent
des Points Diadème afin de passer
dans la classe supérieure.
Celles qui cumulent assez de points
la première année accèdent
au Club du Diadème, et se voient
attribuer le diadème d'argent.
Les membres du Club rejoignent
alors en deuxième année
les Tours d'Argent,
notre enseignement secondaire
pour Princesses Modèles,
afin d'y parfaire leur éducation.

*Le jour de la rentrée,
chaque princesse est priée
de se présenter à l'Académie
munie d'un minimum de :*

- Vingt robes de bal, dessous assortis
- Cinq paires de souliers de bal
- Douze tenues de jour
- Trois paires de pantoufles de velours
- Sept robes de cocktail
- Deux paires de bottes d'équitation
- Douze diadèmes, capes,
  manchons, étoles, gants,
  et autres accessoires indispensables.

Bonjour !
Je suis Princesse Sophie, et je me réjouis
que tu nous rejoignes à la Princesse Academy,
moi et mes amies !
Les connais-tu ? Il y a Alice, Katie,
Daisy, Charlotte et Émilie.
Nous partageons le même dortoir,
la Chambre des Roses. Nous sommes unies
comme les doigts de la main !
C'est notre force, d'ailleurs, face à cette peste
de Princesse Perfecta…
D'après la grande sœur d'Alice,
elle n'a presque pas eu de Points Diadème,
l'année dernière. Du coup, la Reine Gloriana,
notre directrice, ne l'a pas acceptée
au Club du Diadème. Alors, forcément,
Perfecta a redoublé sa première année.
Ce qui signifie qu'elle est maintenant en classe
avec nous… et ça, c'est un vrai problème !

À Princesse Jenny,
et à sa charmante maman aussi, V. F.

À maman et papa,
avec tout mon amour, S. G.

Chapitre premier

— Ce n'est pas drôle, grogne Charlotte alors que nous finissons notre petit déjeuner. En ce moment, il n'y a aucune fête, ni aucun bal de prévu !

À ces mots, Marraine Fée apparaît soudain au beau

milieu du réfectoire dans une gerbe d'étincelles argentées !

Marraine Fée est magicienne. C'est l'intendante de l'école, et elle peut devenir incroyablement grande, si elle veut !

D'un geste ample, elle chasse la poussière brillante, qui vole autour d'elle, puis elle nous sourit en annonçant :

— Excellente nouvelle pour les « première année » ! La Reine Gloriana vous dispense de cours. À la place, vous passerez la journée en Salle de Couture, avec la Grande-Duchesse Délia !

Là, elle nous fixe comme si elle attendait que nous criions toutes hourra … mais personne ne dit rien.

Enfin, Perfecta lève la main.

— Excusez-moi, Marraine Fée… Vous n'allez tout de même pas nous faire coudre toute la journée ?

Son ton se passe de commentaires…

L'Enchanteresse lui jette un regard glacial avant de répondre :

— Bien sûr que si. La Grande-Duchesse est la meilleure couturière et styliste du royaume. Ses créations sont magnifiques, et vous avez une chance folle qu'elle vous consacre du temps !

— Si mes parents apprennent que je confectionne mes vêtements, ils seront furieux! grimace alors Perfecta. C'est le travail des domestiques, ça!

Je retiens ma respiration, redoutant que Marraine Fée explose de colère! Elle se contente cependant de répliquer sévèrement:

— Dois-je vous rappeler, Princesse Perfecta, qu'il est plus facile de perdre ses Points Diadème que de les gagner… ? Je vous recommande donc la plus grande prudence !

Puis, se tournant vers nous :

— La Grande-Duchesse Délia vous attend ! Pensez à vous laver les mains avant de vous présenter en Salle de Couture. Je suis sûre que nous allons passer une excellente journée !

Puis elle disparaît… mais par la porte du réfectoire, cette fois !

Aussitôt, nous nous mettons à parler toutes en même temps.

— Je suis archi-nulle, en couture ! gémit Katie. J'ai déjà essayé de faire une robe pour ma poupée, ça a été un désastre !

— Moi aussi, acquiesce Charlotte. Je me trompe toujours de points !

— Et moi alors ! renchérit Émilie.

— Je me pique sans arrêt les doigts! remarque Daisy.

— Ça va aller, tâche de les réconforter Alice. Ma grand-mère me fabrique pas mal d'habits et parfois, je l'aide. C'est amusant: on recycle de vieux

rideaux, ou les écharpes en satin de mon grand-père !

— Tu portes de vieux rideaux ?! s'étranglent Perfecta et Flora, sa détestable complice, en dévisageant Alice d'un air de mépris.

— Oui ! glousse cette dernière. L'une de mes robes de bal favorites a été faite dans les sublimes tentures de velours rouge de la Salle du Trône !

Perfecta passe un bras autour de l'épaule de Flora et persifle :

— La Princesse Academy ne devrait pas tolérer des élèves si pauvres qu'elles s'habillent de rideaux ! Pourquoi pas des clochardes, tant qu'on y est ?!

Elle relève le bout de son nez, hautaine, puis conclut :

— Une vraie princesse est riche, elle a des domestiques !

Comment veux-tu entrer au Club du Diadème si tu n'as même pas de couturière ?!

Comme cette peste s'apprête à quitter la pièce, je saisis vite Alice par le poignet, et je l'entraîne de force afin de couper la route à Perfecta…

Chapitre deux

Je sais : une Princesse Modèle digne de ce nom n'agit pas ainsi…

Mais Perfecta m'énerve tellement, je ne peux pas m'en empêcher ! Sur le coup, je me fiche pas mal des Points Diadème et du Club !

Prenant Alice par la main, je lance exprès très fort devant tout le monde :

— Perfecta est trop idiote ! Tu es unique, Alice, riche ou pas riche ! Être une Princesse Modèle n'a rien à voir avec l'argent… C'est

être honnête, aimable, attentionnée, et penser aux autres en priorité ! Mais des princesses comme
Flora et Perfecta ne seront sans
doute jamais assez intelligentes
pour comprendre ça !

Et là-dessus, j'entraîne mon
amie dans le corridor.

— Waouh ! s'exclame-t-elle,
ravie. Tu lui as rabattu le caquet
à cette sale chipie !

Adossée au mur, j'essaie de
garder le calme et l'élégance
dont doit toujours faire preuve
une Princesse Modèle. Ce n'est
pas facile : mon cœur bat à cent
à l'heure !

Je fulmine :

— Perfecta l'a mérité ! Comment peut-elle dire des choses pareilles ? Elle est trop snob !

Alice me serre contre elle.

— Merci, Sophie, merci d'avoir pris ma défense ! Mais tu

sais quoi? Perfecta peut penser ce qu'elle veut, elle ne vaut pas la peine qu'on s'en inquiète!

À cet instant, nos quatre amies nous rejoignent dans le couloir.

— La Chambre des Roses au grand complet! s'esclaffe Alice.

Dites, les filles : que fait Perfecta, dans le réfectoire ?

— Elle est folle de rage ! confie Charlotte. Avec Flora, elles complotent à voix basse… Elles préparent leur vengeance !

Ma première colère passée, je commence à me poser des questions…

Insulter quelqu'un en public n'est ni très noble, ni très princier. Mais Perfecta a vraiment été horrible avec Alice !

Avant d'aller en Salle de Couture, nous passons nous laver les mains. En sortant du cabinet de toilette, je sursaute :

Perfecta et Flora avancent vers moi à grands pas !

Je suis prise de panique. Une part de moi souhaite ignorer Perfecta, mais une autre me conseille au contraire de lui sourire comme si de rien n'était… tandis qu'une troisième se demande si je dois m'excuser !

Remarque, je n'ai pas à me décider : Perfecta se plante sous mon nez et tempête :

— Tu sais ce que tu es, Sophie ? Une sale pimbêche qui joue tellement sa chouchoute que ça me donne envie de vomir ! Tu ne t'en tireras pas comme ça ! Mademoiselle se

croit tout permis parce qu'elle est une idiote de la Chambre des Roses avec des boucles blondes ridicules? Tu n'avais pas le droit de m'insulter en public! Tu n'es qu'une espèce d'affreuse prétentieuse maniérée!

Et là-dessus, elle entre dans le cabinet de toilette dont elle claque la porte si fort derrière elle que des morceaux de plâtre tombent du plafond! Flora se précipite à sa suite en couinant:

— On va se venger, tu vas voir!

Quand elle disparaît à son tour, je m'étrangle presque:

— Je suis dans de beaux draps !

— Ne fais pas attention, me conseille alors Alice. Perfecta veut t'intimider.

— Elle n'osera rien, renchérit Daisy. La Reine Gloriana et Marraine Fée n'apprécieraient pas qu'une élève s'amuse à en transformer une autre en pelote d'épingles en plein cours de couture !

Elle est amusante, Daisy. Grâce à elle, je retrouve ma bonne humeur et nous nous présentons en riant en Salle de Couture.

La Grande-Duchesse et Marraine Fée sont justement occupées à empiler des coupons de tissus somptueux sur les tables. Et quand je dis somptueux, c'est vraiment ça: je n'en ai encore jamais vu de pareils!

Des velours brillants, des lainages moelleux, des dentelles aussi immaculées que des neiges éternelles… C'est irréel, magique !

— Approchez, princesses ! nous invite alors la Grande-Duchesse Délia.

Elle nous désigne une table libre : les autres élèves de la classe sont déjà installées à leur place. Elles chuchotent à notre passage : elles parlent de ma dispute avec Perfecta, bien sûr.

Puis, brusquement, j'entends la porte s'ouvrir, dans mon dos. Tout le monde se tait, et je devine que Perfecta vient d'entrer.

Je me sens si mal à l'aise, à ce moment-là, que je dois me concentrer pour ne pas rougir !

Chapitre trois

Marraine Fée sait toujours tout ce qui se passe, et elle a une façon assez surprenante de résoudre les problèmes…

Il n'empêche, j'ai beau avoir l'habitude, elle réussit encore à m'étonner en demandant à

Flora et Perfecta de s'asseoir à notre table !

C'est alors que Perfecta ouvre la bouche et, s'assurant d'abord que la Grande-Duchesse écoute, elle s'exclame d'une petite voix angélique :

— Oh, Alice, quelle chance ! Tu es experte en couture, il paraît ? C'est un honneur pour moi d'être près de toi !

Sur le coup, Alice en reste sidérée, bafouillant ensuite un « merci » embarrassé. Marraine

Fée aussi est décontenancée, ça se voit au regard bizarre qu'elle jette à Perfecta, juste avant de sourire à la classe en ordonnant :

— Mes chères princesses, donnons maintenant à notre intervenante extérieure un accueil digne de notre Académie !

Nous applaudissons joyeusement la Grande-Duchesse Délia, mais ce que manigance Perfecta m'inquiète terriblement…

La Grande-Duchesse nous observe en silence, par-dessus ses lunettes, lorsque Marraine Fée s'éclaircit la voix et propose :

— Peut-être voudriez-vous expliquer aux élèves leur tâche de la journée, Grande-Duchesse Délia ?

— Oh, bien sûr ! s'empresse notre professeur. Vous allez voir, mesdemoiselles, c'est amusant comme tout ! Il s'agit de créer chacune votre propre robe de bal d'hiver, pour la Féerie Surprise de…

— HUM ! l'interrompt brusquement l'intendante.

Trop tard. Nous sommes déjà sur le qui-vive, l'œil brillant.

Katie lève la main.

— Excusez-moi mais… Quelle
Féerie Surprise ?

— Vous le saurez en temps
voulu, réplique Marraine Fée
d'un ton sec, les bras croisés.
Une surprise est une surprise !

La Grande-Duchesse se met à glousser.

— C'est tout moi, ça! J'en ai encore trop dit... Bon, n'y pensons plus, les filles! Je vous ai apporté quelques-uns de mes modèles d'hiver, pour vous faire une idée. J'ai demandé à des élèves du Club du Diadème de vous les présenter!

Là-dessus, elle tape dans ses mains. Et, sous nos yeux ébahis, un défilé de princesses ravissantes entre dans la salle de classe. De vrais top models: elles portent les robes les plus fabuleuses du monde!

Nous les fixons, époustou-
flées. Les princesses du Club
du Diadème sont aux Tours
d'Argent. Nous ne nous fré-

quentons pas… Par exemple, la sœur aînée d'Alice y est entrée cette année, et Alice ne la voit qu'aux vacances !

Une par une, les princesses avancent avec grâce devant nous : elles pirouettent trois fois sur elles-mêmes, s'immobilisent un instant, exécutent un dernier petit tour, puis quittent la pièce.

Tout à coup, Alice tressaute. Elle susurre :

— Regardez ! C'est ma grande sœur !

Et une jeune fille brune qui lui ressemble de façon incroyable fait un tour de plus devant nous, en nous adressant un clin d'œil avant de sortir !

Lorsqu'elles sont toutes passées, je me rends compte que

j'ose à peine respirer. Elles sont si magnifiques, j'espère leur ressembler un jour…

J'ai un secret à te confier. Ne le répète pas, surtout ! Je rêve

d'entrer au Club du Diadème depuis toute petite. Alors je m'applique à être aimable, et serviable… Pas pour faire ma chouchoute, mais pour agir en VRAIE Princesse Modèle.

Et là, de voir les princesses du Club défiler, ça m'a soudain rappelé que j'avais perdu mon sang-froid, face à Perfecta… Des années d'efforts ruinées en quelques secondes ! Comment mériter d'entrer au Club du Diadème en agissant ainsi ?

Je me fais donc une promesse solennelle : m'améliorer encore, et encore !

La Grande-Duchesse rayonne : elle est si contente que ses créations nous plaisent !

— Maintenant, à vous ! lance-t-elle. N'oubliez pas : la moindre tache ne pardonne pas, sur le blanc. Soyez très soigneuses !

Elle nous distribue à chacune une feuille de papier, un crayon, des aiguilles, du fil... et une énorme paire de ciseaux !

Je panique, imaginant déjà des mètres et des mètres de velours massacré d'un côté, et moi avec rien à me mettre de l'autre... Et puis ouf ! je repense aux pouvoirs magiques de Marraine Fée.

La couture, à la Princesse Academy, c'est génial! Tout d'abord, on dessine le patron de notre modèle (la Grande-Duchesse Délia passe nous aider tour à tour).

Ensuite, on choisit notre morceau de tissu. Marraine Fée lui donne un petit coup de baguette magique, et notre matériel se met en action… comme par magie ! Les ciseaux découpent les différents morceaux, les aiguilles les assemblent avec des points si délicats que vous ne les voyez même pas !

Le mieux, c'est que si quelque chose cloche, vous corrigez simplement votre patron, sur la feuille, et abracadabra : ciseaux et aiguilles font leur travail !

Chapitre quatre

Quelle excitation, dans la salle de classe !

Les tables croulent sous des monceaux de robes merveilleuses, de jupons, de ceintures…

Mais il y a quelque chose de vraiment très louche, aussi.

L'attitude de Perfecta: on croirait la princesse la plus parfaite de l'univers! Par exemple, j'ai fait tomber mon aiguille par terre. Eh bien, elle s'est précipitée pour la ramasser, et elle a même passé le fil dans le chas avant de me la rendre!

Sans compter ses compliments, sur ma robe…

— Quelle élève douce, attentionnée et généreuse! s'extasie même la Grande-Duchesse Délia. Princesse Perfecta, je vous attribue vingt Points Diadème!

Perfecta s'incline avec respect, mais quand elle se redresse, je la

vois, j'en suis certaine, adresser
un clin d'œil complice à Flora !

La cloche du déjeuner sonne
enfin. Nous nous rendons donc
au réfectoire et, lorsque nous

réussissons à semer Perfecta, Charlotte s'écrie :

— Mais enfin, que se passe-t-il ?!

— Perfecta prépare un mauvais coup, pressent Katie.

— Peut-être a-t-elle décidé de changer, dit Daisy. Après tout, Marraine Fée lui a donné un sérieux avertissement, ce matin…

— Oui, mais elle ne s'en était pas encore prise à Sophie et à moi ! remarque Alice.

Émilie a l'air songeur.

— C'est vrai, c'est plutôt bizarre… Et à propos de la Féerie Surprise, à votre avis, de quoi il s'agit ?

— Une soirée en plein air, vu
l'épaisseur du velours blanc !

— Sauf que nous ne sommes
pas en hiver, Alice, souligne

Daisy. Le soleil brille même drôlement fort !

— Espérons que Marraine Fée nous en dira plus après déjeuner ! soupire Émilie.

Manque de chance : l'intendante a des choses plus importantes à régler, elle promet de nous voir plus tard…

Nos robes étant terminées, l'après-midi est consacré à leur ornementation. La Grande-Duchesse possède de pleins paniers de perles multicolores, de plumes, de rubans, d'adorables minis roses en soie, qui sont du plus bel effet, sur le velours blanc !

Perfecta continue à jouer les Princesses Modèles. Elle m'a cédé le seul petit bouquet rose pâle disponible. Je sais qu'elle en meurt d'envie pour elle, elle l'a carrément arraché du panier !

Pire : elle m'aide à le fixer sur le plastron de ma robe !

— Et voilà ! chantonne-t-elle. C'est tellement joli !

Elle a raison, et je la remercie du mieux que je peux... mais ma cervelle bouillonne ! Et si Daisy avait vu juste ? Si Perfecta avait simplement décidé de changer... ?

— Hé! Regardez! Il neige!

Le cri de stupeur de Sarah me tire soudain de mes pensées. J'oublie Perfecta, et je me rue à la fenêtre.

Incroyable! De gros flocons tourbillonnent sur le parc de la

Princesse Academy; notre école ressemble désormais à un palais de contes de fée scandinaves!

— Il ne peut pas neiger à cette époque de l'année! s'exclame alors Louise. C'est impossible!

La Grande-Duchesse Délia éclate de rire.

— Rien n'est impossible pour Marraine Fée, ma chère princesse! Avez-vous vu le lac?

Et comment: nous ne pouvons en détacher nos yeux! Il a gelé, sa surface miroite de mille éclats argentés…

— Ça y est, j'ai compris !
applaudit Alice. Le velours épais
et tout : nous allons patiner !

— Exactement, approuve
notre professeur. La Féerie
Surprise de ce soir est une Féerie

Sur Glace ! Terminez vite vos robes, afin d'aller dîner plus tôt. Vous reviendrez ensuite ici les enfiler, puis vous irez au lac pour ce bal inhabituel. Nous vous distribuerons à chacune patins et manchon… et profitez-en bien !

Chapitre cinq

On s'empresse de suspendre sa robe, on quitte la Salle de Couture dans un joyeux brou-haha… Moi, je reste encore un peu : j'ai pris une grave décision.

— Que se passe-t-il ? s'étonne la Grande-Duchesse Délia.

Je m'incline devant elle, puis je réponds :

— J'aimerais faire une surprise à Princesse Perfecta, Votre Altesse. J'ai été horrible avec elle, ce matin… Puis-je découdre mon bouquet rose pâle et le placer sur sa robe ? Je sais qu'elle l'adore !

— Quelle délicate attention ! s'exclame mon professeur. La camarade idéale pour cette chère Perfecta ! Je vais vous aider…

Armée de fil et d'une aiguille, elle fixe alors les roses sur la robe de Perfecta.

— Parfait pour Perfecta! s'amuse la Grande-Duchesse lorsqu'elle a fini. Elle aimait tellement votre robe… Que diriez-vous d'apporter encore quelques petites modifications, Sophie?

Et elle se remet à coudre, plisser, épingler, volanter, froncer, broder, si bien qu'en deux minutes la robe de Perfecta ressemble comme deux gouttes d'eau au premier modèle que je m'étais confectionné.

— La chère enfant s'est occupée de vous toutes sans prendre le temps de penser à elle, dit la Grande-Duchesse Délia en sortant peu après de la classe avec moi. Cette surprise est une très belle idée !

Sur quoi, elle dévale l'escalier, le pas léger. Je descends alors au réfectoire. Mes amies de la

Chambre des Roses me demandent immédiatement ce que je fabriquais. Je le leur explique et Charlotte proteste :

— Tu es vraiment trop gentille, Sophie ! Perfecta ne le mérite pas : elle était encore méchante, ce matin !

— Elle prépare un mauvais coup, je vous dis ! ajoute Katie.

— Mais pourquoi tu fais tout ça pour elle ?! s'écrie Émilie.

— Vous allez vous moquer…, dis-je en baissant les yeux, gênée.

— Bien sûr que non ! jette Alice.

— Nous sommes tes amies ! renchérit Daisy.

— Eh bien voilà... Je pense sans cesse à ce que je lui ai dit, au sujet des Princesses Modèles et de leurs qualités. Alors, même si Perfecta a été horrible, ce n'était pas une raison pour me conduire comme elle !

Notre dîner terminé, nous regagnons la Salle de Couture où les autres élèves sont toutes là, gaies et pressées d'aller patiner.

Debout devant la tringle à vêtements, Marraine Fée et la Grande-Duchesse Délia paraissent très solennelles.

— Tu as vu Perfecta? chuchote Charlotte à mon oreille en remarquant les pommettes écarlates de la fillette. Tu crois qu'elle sait déjà, pour sa robe?

— Ça m'étonnerait…

À cet instant, Marraine Fée décroche la première robe et déclare :

— Commençons la distribution ! À qui, ce modèle magnifique, au plastron orné d'un bouquet de soie rose pâle ?

Vite, je lève la main.

— À Princesse Perfecta, Marraine Fée !

Et prenant une profonde inspiration, j'ajoute :

— J'espère qu'elle acceptera ainsi mes excuses pour ma terrible attitude de ce matin.

Il y a un bref silence, dans la classe. Puis soudain, Perfecta se redresse en hurlant :

— Non, ce n'est pas ma robe ! C'est celle de Sophie !

— Ah! Ah! Surprise, chère princesse! jette la Grande-Duchesse dans un immense sourire. J'ai aidé Sophie à transférer les roses de sa robe à la vôtre! Voici donc la robe de Sophie...

Elle prend un cintre, sur la tringle, brandit la robe... et tout le monde s'étrangle d'horreur:

une affreuse tache d'encre noire
en barre le plastron !

Nous en restons bouche bée.

L'air très sévère, Marraine Fée
dépend un autre cintre : cette
robe aussi est maculée d'encre.

Ainsi que la suivante, et la suivante…

En fait, la seule robe épargnée est celle de Perfecta !

Marraine Fée fusille la fillette du regard et articule d'un ton accusateur :

— Pouvez-vous nous expliquer pourquoi seule votre robe n'est pas tachée d'encre, princesse ?

Perfecta devient carrément verte ! Elle crie :

— Mais ce n'est pas ma robe, c'est celle de Sophie ! Dis-leur, Flora !

— Oui, oui, c'est celle de Sophie. Cela prouve qu'elle est

coupable : elle a gâché toutes les robes de la classe, sauf la sienne ! opine-t-elle.

— Tiens donc, assène l'Enchanteresse, absolument effrayante. Et peut-on savoir pourquoi Princesse Sophie aurait fait cela ?

— Parce qu'elle n'est qu'une sale prétentieuse ! réplique Flora, hors d'elle. Elle se croit toujours la meilleure en tout ! Perfecta a dit que ça serait rudement bien fait pour elle, si les autres la détestaient ! Alors, on a renversé de l'encre sur les...

Elle se tait subitement, le visage cramoisi.

Tu imagines la réaction, dans la classe ! Tout le monde parle en même temps, et Marraine Fée doit devenir immense et rugir de sa voix de stentor afin d'obtenir un peu de calme…

— Princesse Perfecta, Princesse Flora : dans le bureau de la directrice, immédiatement ! gronde-t-elle.

Elle pousse les deux malheureuses dans le couloir, mais avant de partir avec elles, elle se retourne sur le palier et, souriant jusqu'aux oreilles :

— Oups, j'allais oublier… !

Elle agite sa baguette magique… toutes les taches disparaissent, sur les robes !

— Et voilà ! se félicite-t-elle en sortant. Elles sont comme neuves !

La Grande-Duchesse Délia secoue la tête.

— Quel scandale ! Je n'en reviens pas... Enfin, soupire-t-elle : il est temps d'enfiler vos robes, mesdemoiselles, et d'admirer le résultat !

Chapitre six

La Féerie Sur Glace est fantastique !

De minces stalactites scintillent aux branches, et le lac gelé reflète les millions d'étoiles au firmament nocturne.

Nos patins blancs sont assortis

à nos robes de velours, ainsi que nos manchons d'une douceur irréelle, rebrodés de perles étincelantes.

Dans le kiosque à musique d'argent, l'orchestre joue divinement.

Nous dansons, valsons, virevoltons sous la pleine lune… Pour la polka, nous volons presque sur la glace !

Et puis voici que notre directrice, la Reine Gloriana, nous rejoint au milieu du lac, glissant

avec la majesté d'un cygne. Elle lève la main, les musiciens s'arrêtent.

— Je ne viens pas interrompre la fête, rassure-t-elle. J'ai une déclaration spéciale à faire. Ce matin, en voulant aider l'une de ses camarades en proie aux attaques injustes de – je le regrette – deux autres élèves de l'Académie, Princesse Sophie s'est laissé emporter. En personne de qualité, elle a réalisé son erreur, espérant la réparer par un cadeau et des excuses… Malheureusement, les deux élèves incriminées avaient déjà mis

en place leur vengeance. Mais
passons… je veux simplement
profiter de la Féerie Sur Glace

pour citer Princesse Sophie en
parfait exemple de Princesse
Modèle, l'image prônée par

notre école. Je lui décerne par conséquent cinquante Points Diadème! Et à présent: musique, maestro!

L'orchestre reprend. La Reine Gloriana m'adresse un sourire éblouissant et, tandis que je lui fais ma plus belle révérence, elle retraverse avec grâce le lac jusqu'au rivage.

Je me sens tellement bien!

Avec Alice, Charlotte, Émilie, Daisy et Katie, nous nous tenons fort par la main et nous tournoyons encore et encore...

À présent, je le sais: un jour – enfin! – je réussirai à porter le titre de Princesse Modèle. Oui, j'entrerai au Club du Diadème… tout comme toi.

Car ça non plus, je n'en doute pas !

FIN

Que se passe-t-il ensuite ?
Pour le savoir, tourne vite la page !

L'aventure continue
à la Princesse Academy
avec Princesse Émilie !

Bonjour ! La fin de l'année approche et c'est moi,
Princesse Émilie, qui vous raconte
nos nouvelles aventures. Entrer au Club
du Diadème est notre vœu le plus cher,
mais mes amies et moi n'avons pas assez
de Points Diadème...
En plus, notre Marraine Fée adorée
est remplacée par une apprentie fée !
Il faut à tout prix éviter une catastrophe,
et être admise au Club du Diadème, bien sûr !

Les as-tu tous lus ?

Retrouve toutes les histoires de
Princesse Academy dans les livres précédents.

*Princesse Charlotte
ouvre le bal*

*Princesse Katie
fait un vœu*

*Princesse Daisy
a du courage*

*Princesse Alice
et le Miroir Magique*

Connecte-toi vite sur le site de tes héros préférés :
www.bibliothequerose.com
· Tout sur ta série préférée
· De super concours tous les mois

Table

Imprimé en France par Jean-Lamour - Groupe Qualibris
Dépôt légal : août 2010
20.24.1280.5/06 – ISBN 978-2-01-201280-6
Loi n°49-956 du 16 juillet 1949
sur les publications destinées à la jeunesse